Índice

Capítulo 3

Cultivos

Capítulo 4

El Ciclo de la Huerta: Todo Final es un Comienzo

Capítulo 1

La Huerta Familiar o Comunitaria

¿Qué es?

Desarrollarás...

✓ Observación
✓ Paciencia
✓ Responsabilidad

La huerta es un terreno destinado al cultivo, en que todo se relaciona entre sí, permitiendo que la vida surja de la tierra convertida en alimento fresco. Estos llegan directamente a tu mesa, con todos los nutrientes que tu cuerpo necesita, sin camiones, supermercados, bodegas o bolsas de por medio. Tener tu propio huerto te conectará con la tierra y te permitirá comprender la importancia del equilibrio que la naturaleza requiere para brindarnos toda su riqueza.

La recompensa final es la satisfacción de disfrutar y compartir tu propia cosecha.

El espacio no es excusa

No necesitas tener un gran espacio en tu casa para cultivar tus alimentos.

¿Dónde puedo cultivar?

- ✓ Directo en la tierra.
- ✓ En cajones de madera.
- ✓ En la terraza de un departamento.
- ✓ En macetas cerca de una ventana.
- ✓ En una muralla con cultivos verticales.
- ✓ En el techo de tu casa.
- ✓ En botellas plásticas recicladas como cultivos colgantes.

Si no tienes espacio en tu casa, no importa. Organízate con tus vecinos y encuentra un lugar donde puedas construir una huerta en comunidad. Y así no solo cultivarás hortalizas, también podrás cosechar nuevas amistades.

Tener una huerta en la casa es lo mejor que puedes hacer por ti y por el planeta. Conviértete en un pequeño agricultor urbano y súmate a los miles de niños que están cultivando sus propios vegetales... y de paso, cambiando el mundo.

¿Dónde?

Para empezar debes definir dónde se ubicará la huerta. No necesitas gran espacio, basta con un pequeño rincón. Es muy importante que observes y evalúes tu entorno.

El lugar ideal...

1

Donde llegue la mayor cantidad de luz del sol, idealmente expuesto hacia el norte.

Si estás en Chile, encuentra la cordillera de Los Andes, párate mirando hacia ella… el norte está a tu izquierda. Puedes usar una brújula para corroborar. Observa el recorrido del sol de este a oeste, y cómo los árboles, muros, casas y edificios a tu alrededor van proyectando una sombra a medida que avanza el día. Trata de evitar los lugares más sombríos.

2 Donde tengas una llave de agua cercana.

Mira donde tienes la fuente de agua más cercana y ve si es posible llegar con una manguera hasta la huerta. El riego es una de las labores más importantes para que las plantas crezcan sanas y vigorosas. Si no puedes llegar con una manguera, puedes regar el huerto con una botella o regadera.

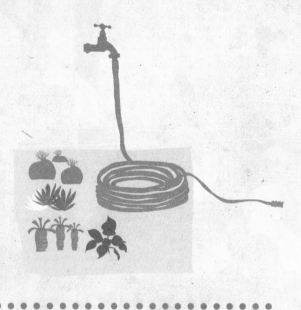

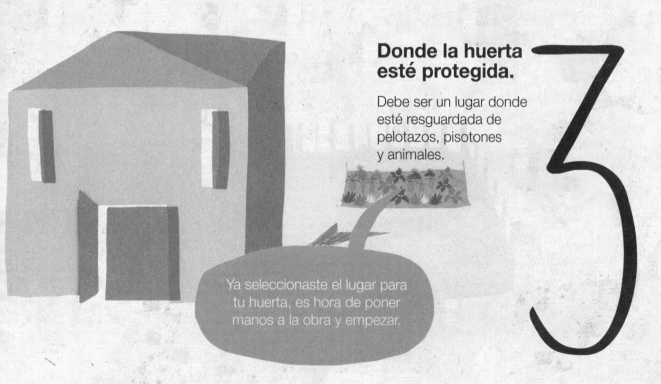

3 Donde la huerta esté protegida.

Debe ser un lugar donde esté resguardada de pelotazos, pisotones y animales.

Ya seleccionaste el lugar para tu huerta, es hora de poner manos a la obra y empezar.

¿Qué necesito?

Prepara tu set de herramientas y materiales de cultivo. Si no tienes todos los materiales en casa, no importa, trabaja con lo que tengas o pide prestado a familiares, amigos o vecinos.

Herramientas y materiales

- Set de herramientas de jardín
  - Pala ancha
  - Rastrillo de cultivo
  - Pala angosta
  - Bieldo
- Brújula
- Huincha de medir
- Picota (para cultivo en suelo)
- Tijeras de podar
- Manguera con ducha o regadera
- Tierra mineral
- Compost
- Semillas o almácigos orgánicos
- Cajón de tomates, macetas o botellas plásticas
- Palo de escoba
- Pita para amarrar
- Cuaderno de la huerta

El compost es un abono natural, rico en materia orgánica, que nos ayuda a mantener un suelo fértil y saludable. Se forma por la descomposición de los residuos del huerto, la cocina, de la poda de jardines y otros materiales orgánicos. Estos se descomponen por la acción de miles de microorganismos. Con este abono le devolvemos al suelo todo lo que le sacamos cuando cosechamos y nos permite cuidarlo para que siempre nos de buenas cosechas.

Capítulo 2

Manos a la Huerta

El suelo es protagonista

El suelo es clave para poder cosechar ricas hortalizas orgánicas.

¿Cómo está tu suelo?

1 Prueba del agua

Si al regar el agua se demora en absorberse es posible que la tierra esté muy compactada o sea muy arcillosa. Entonces tienes que soltar la tierra picando con una pala o un rastrillo.

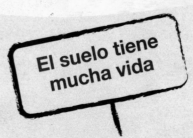

El suelo tiene mucha vida

En el suelo se encuentran millones de microorganismos diferentes que son fundamentales para la vida en el planeta. Tienen un rol relevante en la estructuración del suelo.

Si no tienes un jardín para plantar...

✓ Consigue un cajón de feria o construye uno del tamaño que quieras, con un mínimo de 30 cm de profundidad/altura.

✓ Fórralo con malla plástica doble y asegúrate de fijarla bien a la madera con corchetes gruesos o tachuelas.

Preparemos el suelo...

✓ Mezcla mitad de tierra mineral proveniente del suelo y mitad de compost.

✓ Riega tu suelo y asegúrate que quede bien húmedo.

✓ Escarba la tierra y si es necesario vuelve a regar. Deja reposar hasta que el suelo no tenga pozas de agua.

Prueba del palo

Mide la profundidad del suelo enterrando un palo. Si entra 30 cm o más tiene la profundidad adecuada para el cultivo de hortalizas. Si no entra 30 cm debes agregarle compost.

Cuidemos el suelo...

✓ No lo pises.
✓ Cúbrelo con hojas secas, paja o "mulch".
✓ Mantenlo siempre sembrado.

No hay recetas fijas, la experiencia es la mejor amiga de la huerta. Meter las manos en la tierra es la mejor manera de saber si el suelo está seco y necesita agua o si está compacto y necesita aire.

Planifica tus cultivos

Si quieres que tus plantas crezcan grandes, sanas y generosas, debes planificar tu huerta. Los ecosistemas naturales tienen sinergia propia, en cambio la huerta necesita de tus cuidados para que crezcan variedad de frutas y verduras.

Verano

Cultivos que requieren temperaturas elevadas y no resisten las heladas. Por lo general en verano cultivamos plantas de fruto como: tomate, pimentón, ají, berenjena, melón, sandía, zapallo y otras como maíz, poroto, albahaca y girasoles.

Todo el año

Rábanos, beterragas, zanahorias y acelgas son cultivos resistentes que se dan bien la mayor parte del año, igual que las lechugas. Con estas últimas debes tener cuidado porque en verano se suben y se ponen amargas muy rápido.

Algunas preguntas

¿Qué hortalizas te gustan?

¿De qué tamaño serán tus cultivos?

¿Cuánto sol necesitan?

Invierno

Cultivos que requieren temperaturas más bajas y tienen algún nivel de tolerancia a las heladas. Por lo general en invierno cultivamos principalmente plantas de hoja como: kale, rúcula, espinaca, pero también cultivamos otras como ajo, coliflor, brócoli, repollo, habas y arvejas.

Cuaderno de la huerta

Es importante llevar registro de la actividad de la huerta. Así desarrollarás aprendizajes en base a tu experiencia temporada a temporada.

Usos posibles

✓ Dibuja / planifica tu huerta diseñando los espacios de cultivo.

✓ Anota las especies y variedades que cultivas.

✓ Registra fechas de siembra y cosecha.

✓ Planifica la recolección y guarda de semillas.

✓ Anota la aparición de plagas, su desarrollo y manejo.

lechuga

espinaca

Vamos a sembrar

Las semillas son sorprendentes. De estas pequeñas pepitas puede nacer toda una planta, como una lechuga o un árbol gigante. Y de la misma, también pueden surgir miles de semillas más. Son la forma que tienen las plantas de reproducirse y multiplicarse.

Las semillas también pueden comerse, por ejemplo: el maíz, las leguminosas y los cereales. Hay otras que se usan para condimentar ensaladas, como las semillas de maravilla, de sésamo o de zapallo.

Germinación

La germinación es el acto mediante el cual una semilla en estado de vida latente entra en actividad para originar una nueva planta. Las semillas no necesitan sol. Para germinar solo requieren un poco de temperatura y humedad que permiten que se hinchen. Cuando esto ocurre las semillas se abren dando paso a una pequeña colita llamada radícula (que luego será la raíz de la planta) y a los cotiledones.

Cotiledones

Las primeras hojas que surgen de la semilla se llaman cotiledones. No pueden captar la luz del sol, por lo que no son hojas verdaderas. Las plantas pueden tener 1 o 2 cotiledones.

Después de los cotiledones vemos crecer las primeras hojas verdaderas. Mediante ellas, la planta capta la energía del sol para seguir creciendo y desarrollándose.

Opciones de siembra

Para cultivar nuestra huerta podemos hacer una siembra directa sobre el suelo que preparamos o podemos hacer una siembra en almácigos.

Siembra directa

1 Prepara el suelo definitivo donde crecerán los cultivos.

2 Preocúpate que la tierra esté bien húmeda pero no aposada.

3 Como regla general, la profundidad de siembra de las semillas, debe ser de 2 a 3 veces su tamaño.

4 Guíate por la tabla de cultivos para saber la distancia entre semillas.

5 Entierra un palito en cada lugar donde pondrás las semillas, coloca 1 o 2 y luego cúbrelas con tierra.

Almácigos

1 Los almácigos son el soporte en que se siembran las semillas para su posterior transplante. Nos permite que las plantas, mientras son más frágiles, crezcan en un lugar protegido principalmente del frío.

2 Existen bandejas de almácigos o semilleros que puedes comprar en el comercio, pero también podemos reutilizar envases plásticos pequeños.

3 Debes hacer un buen sustrato. Esto se logra mezclando tierra de tu jardín con compost harneado.

4 Rellena los semilleros con 2/3 de sustrato. Pon 1 o 2 semillas por cavidad y cubre el otro tercio con sustrato.

5 Ubica tus almácigos en un lugar protegido y mantenlos regados.

6 Cuando tus plantas tengan entre 3 y 4 hojitas verdaderas, sabrás que ya son fuertes y están listas para ser trasplantadas según la distancia de la tabla de cultivos.

Para trasplantar tus cultivos de los almácigos a la tierra definitiva debes evitar hacerlo en días de mucho calor. Ideal en las tardes cuando baje el sol. Debes ser muy cuidadoso al manipular las raíces. Para no dañarlas se recomienda hacer la división cuando las plantas son pequeñas pero ya tienen 2 o 3 hojas verdaderas y con la tierra mojada.

Agua y riego

En la huerta las plantas hacen casi todo el trabajo, pero requieren de algunos cuidados de nosotros los huerteros.

El riego es esencial para nuestros cultivos, nos permite compartir tareas y asumir responsabilidades en familia o en comunidad.

La prueba del puño

La prueba del puño es un método para saber si el suelo tiene mucha o poca agua. Toma un puñado de tierra y apriétalo, si estila es porque tiene mucha agua, si tu palma queda seca es porque tus plantas tienen sed.

Tips para regar

✓ La hora ideal para regar es en la mañana antes de que salga el sol o por la tarde cuando ya se ha ido.

✓ Te recomendamos regar sin mojar las plantas y sólo mojando la tierra alrededor de los cultivos, porque la humedad sobre los cultivos puede propiciar la aparición de hongos.

✓ Ojalá puedas regar con un chorro suave o tipo ducha, o con una regadera. Los chorros fuertes de agua directa pueden dañar tus cultivos.

✓ Todas las plantas se expresan, por lo que observarlas con atención nos ayudará a identificar cuando una planta tiene exceso o carencia de agua.

El riego es esencial para nuestros cultivos y al mismo tiempo es un hábito que relaja y nos permite observar y disfrutar de nuestra huerta. Nos conecta con ella.

¿Malezas o buenezas?

Las plantas que crecen sin que las sembremos, son injustamente llamadas "malezas". Pero la verdad es que no son dañinas para la huerta si las mantenemos controladas, incluso pueden ser beneficiosas para el suelo, descompactándolo con sus raíces, protegiéndolo de la radiación solar con sus hojas y aportando materia orgánica con sus restos para que otras plantas los aprovechen.

La biodiversidad

La biodiversidad corresponde a las múltiples formas de vida presentes en un ecosistema. Distintos tipos de plantas, insectos y microorganismos otorgan al ecosistema un estado de salud equilibrado y armónico del cual nos beneficiamos a diario.

La biodiversidad permite, entre otras cosas, mantener bajo control plagas y enfermedades, mantener el ciclo de los nutrientes en el suelo, regular el ciclo hidrológico, el ciclo energético y la salud en general del ecosistema.

¿Cómo potenciarla?

✓ Manten plantas aromáticas y con flores (como lavanda, albahaca u otras hierbas). Ellas, con su fuerte aroma, nos ayudan a distraer a los insectos que vuelan buscando las plantas del huerto.

✓ Procura no cultivar una sola especie, esto hace que tu huerta sea muy susceptible al ataque de plagas o enfermedades.

✓ No repitas un cultivo en un mismo lugar año tras año, esto puede generar problemas de fertilidad en el suelo y al mismo tiempo potencia el desarrollo de plagas y enfermedades.

✓ Realiza rotaciones de cultivos cada año, cambiando la especie según el órgano de consumo y el tamaño de la planta. Por ejemplo, donde hubo lechugas (de las que comemos las hojas) planta zanahorias (de ellas nos comemos la raíz).

Insectos y plagas

No todos los insectos son malos ni son plagas, muchos nos ayudan a mantener el control biológico del ecosistema en torno a la huerta.

✓ Depredadores buenos
Algunos insectos se alimentan de otros que atacan y enferman nuestros cultivos. Por ejemplo, la chinita se alimenta de pulgones, los que a su vez, si no fueran devorados por las chinitas, crecerían en población arrasando con tus cultivos.

✓ Polinizadores
Abejas, polillas y mariposas nos ayudan a polinizar las flores de nuestros árboles y algunas hortalizas.

✓ Constructores
Las lombrices y termitas son constructoras de ecosistemas que le dan estructura a nuestros suelos.

✓ Plagas
Hay insectos que son considerados plagas ya que pueden reproducirse muy rápidamente enfermando o devorando nuestros cultivos.

Babosas y caracoles

Son muy voraces y pueden ser un gran problema en nuestra huerta. Aquí algunas recetas para mantenerlos lejos.

1. Los desechos de café molido, las cenizas de leña o las cáscaras de huevo picadas alrededor de nuestras plantas pueden ayudar a mantenerlos alejados.

2. Entierra un vaso plástico, dejando el borde al nivel del suelo. Llénalo hasta la mitad con cerveza y ya veras como empiezan a llegar los caracoles y las babosas.

El bar de la muerte

La levadura de cerveza les gusta tanto que se lanzan dentro y mueren ahogadas. Rellena la trampa cada dos días y revísala diariamente para ir quitando los caracoles y las babosas que hayan caído en la trampa.

Cosecha

¿Hoja o raíz?

Qué cosechar pasa por comprender que nos alimentamos de distintas partes de cada una de las hortalizas. De algunas comemos las hojas (lechugas, acelgas, espinacas), de otras los frutos (tomates), de algunas la flor (coliflor, brócoli, alcachofa), también los tallos (apios y cebollas), e incluso las raíces (zanahorias, beterragas) y semillas (choclo, porotos, quinoa).

Felices como lombrices

Después de varias semanas llegará el momento de recolectar los frutos de tu trabajo, de tu paciencia y del cariño que pusiste en tu huerta. Cuando los tengas en la mano verás lo que se siente. Quizás te den ganas de darles un buen mordisco, o de llevarlos a la cocina para compartirlos con tu familia. Quizás te dé un poco de pena comerte ese tomate colorado que viste crecer y cambiar de color día a día. Pero lo que sea que te pase será emocionante y te sentirás agradecido de la tierra.

¿Fruto o flor?

Cuándo cosechar va a depender de la parte de la planta que nos sirve de alimento. Si lo que comemos son sus hojas, entonces cosecharemos antes de que las plantas florezcan. Si es el fruto, primero debemos esperar que la planta florezca y luego surgirá el fruto. Si son las semillas, debemos esperar que la planta se desarrolle completamente.

Recolección de semillas

Si quieres tener semillas para el próximo año, puedes dejar que algunas plantas crezcan sin cosecharlas. Te sorprenderás al ver llena de flores tu huerta. Estas flores sirven de alimento para las abejas, las que al mismo tiempo las polinizan y así se forman las semillas que nos permitirán tener nuevas plantas para nuestro huerto.

Tips de cosecha

✓ Para saber cuando están listas las plantas que crecen bajo tierra debes observarlas con atención. Las beterragas, zanahorias, rabanitos y cebollas se asoman a la superficie cuando ya están grandes y listas.

✓ En lo posible cosecha para consumir durante el día. Entre más fresco, más nutritivo y saludable.

✓ Si cosechas más de lo que puedes consumir, busca con quien compartir o intercambiar vegetales.

✓ Es mejor cosechar después de regar.

Intercambio de semillas

En diversas culturas se celebran rituales asociados al intercambio de semillas y saberes propios de cada especie, generando un espacio de permuta único y colaborativo entre distintas comunidades. Esta práctica se usa actualmente entre agricultores y huerteros orgánicos que se organizan en torno a bancos de semillas comunitarios que buscan promover el intercambio a nivel local.

Capítulo 3

Cultivos

Albahaca

Ocimum basilicum

Esta planta de hojas verdes e intenso aroma se utiliza en ensaladas, sopas, guisos y salsas, por eso es una de las invitadas frecuentes a nuestra mesa. Y en la huerta también es muy bienvenida por ser una gran aliada del resto de los cultivos, pues ahuyenta insectos, previene la aparición de plagas y estimula el desarrollo y la inmunidad de las plantas que crecen junto a ella. Riega abundantemente y plántalas lejos de la sombra. Es muy fácil obtener tus propias semillas de albahaca. Solo debes esperar a que sus cientos de flores blancas aparezcan y una vez que la flor se seque puedes sacar con mucho cuidado las semillas que estarán dentro de cada flor.

Le gusta

✓ El sol
✓ El agua

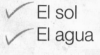

Almácigos

Se recomienda el uso de almácigos de interior, pero debes calcular la siembra entre 4 y 6 semanas antes de las últimas heladas, de modo que el trasplante sea sobre la tierra tibia y cuando el clima sea más bien veraniego, pues las heladas son una amenaza para ellas.

Hojas sabrosas

Para que la planta crezca frondosa y con buen sabor elimina los capullos de las flores en cuanto aparezcan. Cosecha las hojas más grandes con frecuencia para que las pequeñas vayan desarrollándose como ramas. En cuanto más hojas (y con más frecuencia) coseches, más hojas te dará tu planta.

Temporada de cultivo	Final de primavera o verano
Cosecha	2 - 3 meses

Acelga

Beta vulgaris

La acelga es muy generosa, se da en abundancia y exige poco. Sus grandes hojas verdes pueden tener tallos blancos, amarillos, naranjos, morados o fucsias. La acelga es pariente de la beterraga, pero se parece más a la espinaca. Se puede cultivar mediante siembra directa o en almácigos durante prácticamente todo el año. No necesita estar a pleno sol para crecer bien. Puedes cultivarla en lugares sombríos como las tazas de los árboles o junto a otros cultivos grandes. Las hojas de acelgas se comen usualmente cocidas, pero si las cosechas tiernas quedan muy bien crudas y picadas en las ensaladas.

Semillas

Puedes dejar crecer una de tus mejores acelgas para que produzca abundantes semillas. Solo debes dejarla crecer sin sacarle sus hojas y luego de 3 o 4 meses, cuando esté preparada, crecerá muy alta para luego entregarnos sus arrugadas semillas.

Importante

La acelga necesita bastante riego para crecer frondosa y abundante. Cuando sus hojas alcanzan los 18-20 cm de altura puedes cosechar sus hojas externas cortándolas desde la base. Haz esto con frecuencia y anda eliminando también las hojas amarillas secas. Al cosechar puedes cortarle todas sus hojas a 5 cm del nivel del suelo y la acelga volverá a brotar una y otra vez. Es bastante resistente a las heladas y a las plagas.

Temporada de cultivo	Otoño - invierno
Cosecha	2 - 4 meses

Lechuga

Lactuca sativa

Las lechugas son uno de los cultivos más populares porque crecen rápido y son bienvenidas en cualquier ensalada. Hay muchos tipos de lechugas: algunas densas y generosas, a las que puedes quitarles algunas hojas sin necesidad de sacarlas completamente; otras de hojas sueltas, pero que crecen más rápido. Estas últimas no forman cabeza y pueden dar varias cosechas en un solo cultivo si se cortan cuando están jóvenes.

Importante

Cuando la lechuga deja de producir hojas y comienza a crecer hacia arriba, alargándose para desarrollar sus flores y semillas, se ponen amargas por lo que hay que cosecharlas antes de que esto ocurra.

· ·

Que no les falta agua

Riégalas frecuentemente porque les encantan los suelos húmedos y livianos (con buen drenaje). Si las cultivas en macetas tienes que estar más atento porque el suelo se seca más rápido, pero si en verano el sol está muy fuerte es mejor moverlas a la sombra.

Cuando las lechugas están pequeñitas, suelen desaparecer misteriosamente. No es magia... Son los pájaros que gozan de sus hojas tiernas y frescas.

Temporada de cultivo	Casi todo el año
Cosecha	2 - 3 meses

Kale

Brassica oleracea

El kale también es conocido como col rizada. Es pariente cercano del brócoli y la coliflor. Esta hortaliza es considerada como un súper alimento, ya que contiene grandes cantidades de hierro, vitamina A y K, antioxidantes, entre otras cualidades. Se pueden plantar en siembra directa o en almácigos durante prácticamente todo el año aunque prefieren el invierno. Crecen mejor a pleno sol, pero si están a semi sombra logran adaptarse bien.

Importante

Al kale le gustan los suelos bien profundos ya que tiene raices muy poderosas. Además es muy comilón por lo que recuerda abonarlo con un puñado de compost cada semana.

Una vez que tenga entre 5 y 7 hojas grandes comienza a cosecharlo con frecuencia así no le quitarás tanto espacio a las otras plantas de tu huerto.

Visitantes del kale

Es muy común que al kale lo vayan a visitar algunos "amigos". Si en la parte de atrás de las hojas aparecen unas manchitas amarillas o naranjas han llegado las mariposas de la Col *(Pieris brassicae)* y esos son sus huevos. Otros visitantes son los pulgones, unos bichos chiquititos, generalmente verdes o cafés, que se dan grandes festines con la rica y nutritiva savia del kale. Trata de mantener una biodiversidad alta para evitar que estos amigos te dejen sin cosechas.

Temporada de cultivo	Invierno
Cosecha	3 - 4 meses

Espinaca

Spinacea oleracea

La espinaca es muy saludable
por los nutrientes que nos aporta
pero tiene menos hierro
que otros vegetales.
No tolera muy bien el exceso
de humedad en el suelo, por
lo que no es necesario regarla
muy seguido. Para cosechar la
espinaca no necesitas arrancar
la planta completa, basta con ir
sacando sus hojas externas. Las
hojitas internas volverán a crecer
rápidamente.
La podemos comer cocida en
guisos, sopas o salsas, pero
también podemos comerla fresca
y cruda en nuestras ensaladas.

Le gusta

A la espinaca le encanta el frío, tanto así que
apenas comienza a hacer un poco de calor en
la primavera y la temperatura promedio pasa
los 15°C se detiene el crecimiento de hojas,
la espinaca comienza a florecer y el sabor de
sus hojas se vuelve amargo. Es por esto la
recomendación general es plantarlas o muy
temprano en primavera o en otoño.

Importante

Crece sin problemas en lugares con poco
sol, lo que la hace ideal para lugares muy
sombríos o para plantarla acompañada de
especies más grandes que ella. No la cultives
donde antes sembraste acelga o beterraga.
Se lleva muy bien con el rabanito, son grandes
vecinos en la huerta.

Temporada de cultivo	Invierno
Cosecha	3 - 4 meses

Tomate

Solanum lycopersicum

El tomate es muy popular en ensaladas y comidas. Existen casi cien variedades distintas de tomates que se clasifican según sus usos, tamaño y forma. Existen tomates rojos, amarillos, naranjos, negros y rayados. Idealmente sembrar en almácigos cuando se acabe el invierno, y luego trasplantar cuando las plantas tengan entre 5 a 10 cm y la temperatura sea más alta. El tomate suele ser visitado por la mosquita blanca, por pulgones y por gusanos masticadores.

Es importante hacer rotar de lugar el cultivo, es decir, donde hubo tomates un año, no volver a ponerlos ahí al año siguiente para evitar que las plagas del tomate se multipliquen.

Le Gusta

✓ El calor y odia las heladas.
✓ El riego abundante, que permita que el agua llegue hasta sus raíces.
✓ Sistema de guía, que lo ayude a crecer derecho, dar más tomates y más rojos.

Importante

Una vez que el tomate comienza a teñirse de rojo en la mata ya lo puedes cosechar porque aunque esté cortado seguirá colorándose y se pondrá rojo en pocos días. Sin embargo, no hay como un tomate que madure en la mata.

Temporada de cultivo	Primavera - verano
Cosecha	4 - 5 meses

Zanahoria

Daucus carota

Las zanahorias se suelen trozar o rallar, y se consumen crudas, cocidas, fritas o al vapor. Pero el sabor que tienen al tomarlas directo de tu propia huerta es el mejor de todos. Se deben sembrar directo en el lugar donde se desarrollarán hasta la cosecha. Si ves que te quedaron muy juntas puedes ir sacando algunas para que las que van quedando se desarrollen completamente.

Importante

La cosecha de las zanahorias puede ser cuando estén muy pequeñas (son muy sabrosas y crujientes) para los más impacientes o ya bien crecidas para los que pueden esperar. No te desanimes si tus zanahorias no tienen la forma perfecta, y están un poquito torcidas, también son muy ricas.

Ojo con el agua

Si las riegas muy poco, las zanahorias se pondrán muy fibrosas, pero si las riegas en exceso, crecerán más sus hojas que sus raíces (que es lo que nos comemos de la zanahoria).

Cuando la raíz comience a asomarse, es importante cubrirla con tierra ya que si recibe la luz del sol, tu dulce y naranja zanahoria se pondrá verde y amarga.

Temporada de cultivo	Todo el año
Cosecha	3 - 4 meses

Rábano

Raphanus sativus

El rabanito es un cultivo de raíz muy popular en las huertas familiares. Los niños los adoran porque crecen muy rápido y facilitan el manejo de impaciencia mientras crecen los cultivos más lentos. En 4 o 5 semanas ya puedes cosecharlos. El rabanito puede ser cultivado durante todo el año aunque prefiere las temperaturas del verano, que es cuando crece más rápido. Puedes plantar unos pocos rabanitos cada 15 días, de esta forma podrás disfrutar de rabanitos frescos toda la temporada.

Importante

Es importante no dejar pasar mucho tiempo para cosechar, ya que si la raíz crece mucho puede rajarse y ahuecarse, y su sabor se vuelve desagradable. La recomendación es sacarlos de la tierra en el momento en que los vamos a comer, de esta forma conservan mejor sus propiedades nutricionales, su textura crujiente y su sabor.

Temporada de cultivo	Casi todo el año
Cosecha	1 - 2 meses

Beterraga

Beta vulgaris

La beterraga es un cultivo del cual comúnmente nos comemos la raíz. Sin embargo las hojas también son comestibles y muy ricas en ensaladas o mezcladas en jugos verdes. La beterraga es pariente de la acelga, por eso cuando están pequeñas en el huerto puedes llegar a confundirlas. Al igual que la zanahoria y otros cultivos de raíz, necesitan un suelo fértil, rico en materia orgánica y libre de piedras. Además requiere abundante riego, ya que la sequía produce la floración prematura y genera beterragas más duras.

Importante

A la beterraga le gusta la semi sombra. Tolera bien las heladas suaves y crece en óptimas condiciones a temperaturas entre los 15 y 18 grados.

El jugo de la beterraga es un tinte natural súper poderoso. Al manipularla en la cocina teñirá tus manos y en el plato le dará color a tus comidas. Pero su poder colorante no solo llega hasta ahí… No te sorprendas si llega a teñir tus visitas al baño.

Temporada de cultivo	Otoño, primavera y verano
Cosecha	3 - 4 meses

Berenjena

Solanum melongena

Las berenjenas existen en diversos tamaños y colores; desde el violeta hasta el blanco. Se ha vuelto muy popular en nuestras cocinas y huertas debido a sus propiedades nutritivas. La berenjena sufre mucho con el frío por lo que debes evitar sembrarlas antes de que termine el invierno y las heladas. Debes plantarlas donde les llegue mucho sol y donde tenga suelos profundos para crecer. Es una planta grande, por lo que de seguro generará sombra y un ambiente más fresco para otras plantas más pequeñas.

Importante

Aunque adora el sol y el calor, al mismo tiempo necesita mucha agua, sobre todo cuando ya se están formando los frutos. La berenjena se cosecha inmadura (antes de que se formen las semillas y pierda parte de sus propiedades). Cuando al tocar la parte superior del fruto la notemos algo blanda sabremos que es el momento adecuado para cosecharla.

Recuerda que para quitar el amargor de la berenjena debes dejarla en sal 20-30 minutos y luego enjuagarla bien antes de cocinar. Y para evitar que se oxide puedes ponerla en agua con unas gotitas de jugo de limón.

Temporada de cultivo	Verano
Cosecha	3 - 4 meses

Tabla de cultivos

		Temporada de cultivos	Meses hasta la cosecha	Riego
Tomate		Primavera - verano	4 - 5 meses	Frecuente y muy frecuente al comienzo
Albahaca		Primavera - verano	2 - 3 meses	Frecuente
Papa		Todo el año	3 - 4 meses	Frecuente
Rúcula		Otoño - Invierno	2 - 3 meses	Frecuente
Beterraga		Otoño - Primavera - Verano	3 - 4 meses	Frecuente
Lechuga		Casi todo el año	2 - 3 meses	Muy frecuente
Ají		Verano	4 - 5 meses	Frecuente

Exposición al sol	Tamaño de la planta	Distancia entre plantas	Profundidad de raiz	Plantas amigas
Plena	Grande	50 - 60 cm	40 a 100 cm	Ajo, apio, albahaca
Semi sombra	Mediana	20 - 30 cm	30 a 40 cm	Berenjena, papa, pimentón
Plena	Mediana	30 - 40 cm	40 cm	Albahaca, ajo, espinaca
Semi sombra	Pequeña	15 - 20 cm	30 a 40 cm	Berenjena y tomate
Semi sombra	Mediana	30 - 40 cm	30 a 40 cm	Ajo, lechuga, tomate
Semi sombra	Pequeña	15 - 20 cm	25 a 30 cm	Rabanitos, zanahoria, menta
Plena	Mediana	30 - 40 cm	30 a 40 cm	Cebolla, albahaca

Tabla de cultivos	Temporada de cultivos	Meses hasta la cosecha	Riego
Zanahoria	Todo el año	3 - 4 meses	Ligero
Kale	Invierno	3 - 4 meses	Frecuente
Zapallo	Verano	4 - 5 meses	Frecuente
Espinaca	Invierno	3 - 4 meses	Poco frecuente
Berenjena	Verano	3 - 4 meses	Abundante y frecuente
Acelga	Otoño - invierno	2 - 4 meses	Muy frecuente
Rábano	Casi todo el año	1 - 2 meses	Frecuente

Exposición al sol	Tamaño de la planta	Distancia entre plantas	Profundidad de raiz	Plantas amigas
Plena	Mediana	20 - 30 cm	30 a 40 cm	Acelga, ajo, pimentón
Semi sombra	Mediana	30 - 40 cm	40 a 50 cm	Porotos, habas, arvejas
Plena	Muy grande	50 - 70 cm	40 a 50 cm	Maiz, poroto
Semi sombra	Mediana	20 - 30 cm	30 a 40 cm	Cebolla, lechuga, rabanito
Plena	Grande	50 - 60 cm	40 a 50 cm	Lechuga, poroto, albahaca
Semi sombra	Mediana	20 - 30 cm	30 a 40 cm	Cebolla, coliflor, zanahoria
Semi sombra	Pequeña	15 - 20 cm	20 a 30 cm	Espinaca, lechuga, frutilla

Hierbas

Las hierbas se utilizan como aliños en distintas comidas, ensaladas y postres. También tienen muchas propiedades medicinales y se pueden consumir en infusiones. Para preparar una infusión escoge las hierbas, semillas, frutos o esencias que quieras, ponlas en una taza, agrega agua a punto de hervir y espera unos minutos a que decante su sabor y propiedades. También puedes esperar a que se enfríen, agregarles hielo y hacer refrescantes y saludables preparaciones. Pero además una buena selección de hierbas sembradas en tu huerta ayudan a mantener en equilbrio el ecosistema y potencia la biodiversidad.

• • • • • • • • • • • • • • • • •

Las hierbas son cultivos de fácil manejo y muy resistentes. Con bastante sol, suelos con buen drenaje y riego frecuente (pero evitando el exceso) tienes el éxito prácticamente asegurado. No necesitan mucho espacio (pueden permanecer años en macetas) y pueden obtenerse sembrando semillas o plantando esquejes.
Muchas de las hierbas son perennes, por lo que durarán varios años. Otras tienen ciclos anuales, algunas de verano, otras de invierno.
Es recomendable podarlas cada año después de que florezcan hacia el final de la temporada. Esto las revitalizará y evitará que se vuelvan muy leñosas.

Menta

Mentha spp.
Existen muchas variedades de menta. Es perenne y crece invasivamente, por lo que debes tener cuidado de no plantarla muy cerca de otros cultivos. Se usa mucho en infusiones, pero además tiene una infinidad de usos culinarios, pues queda muy bien con las carnes, ensaladas y postres.

Cedrón

Aloysia citriodora
También conocido como hierba luisa, es un arbusto que alcanza gran tamaño. Para tener cedrón durante todo el invierno se recomienda cosechar las hojas en verano, secarlas y guardarlas en un lugar seco y sombrío. Posee una agradable frangancia a limón y se usa mucho en infusiones y para dar toques a la limonada, al té helado, al mate y a algunos cócteles.

Melisa

Melissa officinalis
Famosa por sus efectos relajantes. En la medicina popular es muy usada para calmar la ansiedad y mejora el sueño. Tiene un agradable y fresco sabor a limón que da un toque delicioso a infusiones calientes y heladas. Las hojas se utilizan tanto frescas como secas, para ensaladas y guisos.

Orégano

Origanum vulgare
Es una planta muy resistente y de fácil cuidado. Es perenne y necesita sol para crecer. Antes de que florezca es mejor podarlo y secar sus hojas. Se utiliza fresco o seco, en platos de pasta, pizzas y panes.

Tomillo

Thymua spp.
Es perenne, de crecimiento fácil, y le gusta el sol. Después de que florezca conviene podarlo. Se le atribuyen variados beneficios medicinales. Se usa en infusiones (con un poco de miel y limón) para aliviar molestias estomacales, respiratorias y reumáticas, entre otras. Se usa en la cocina para dar sabor y aromatizar las comidas.

Romero

Rosmarinus officinalis
El romero puede sembrarse fácilmente, ya sea en macetas o como arbusto en el jardín. Necesita muy pocos cuidados, se adapta a todos los climas aunque prefiere los más cálidos y secos. Es muy aromático y se utiliza en guisos, acompañando carnes, papas y otros vegetales.

Ciboullette

Allium schoenoprasum
Es perenne y fácil de cultivar. Se puede usar cruda o cocida en diversas preparaciones remplazando a la cebolla o en compañía de ella. Usualmente se pica muy fina y no solo da gusto y aroma, también es muy decorativa.

43

Capítulo 4

El Ciclo de la Huerta: Todo Final es un comienzo

Ciclo de la huerta

La huerta es cíclica, como un espiral que siempre vuelve a empezar. Y cada nuevo comienzo es una nueva oportunidad para sembrar y cultivar, para mejorar la técnica e incorporar lo que aprendiste de la tierra en el cultivo anterior. La huerta trabaja en concordancia con los ciclos de la naturaleza. El otoño persigue al invierno, como la primavera al verano, es la tierra bailando alrededor del sol, marcando el paso de los días, meses y años.

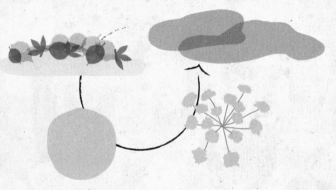

La infinita fuerza de los ciclos de la naturaleza ha marcado desde siempre nuestra relación con las siembras y las cosechas. De aquí surgen la creación de mitos, ritos y cultos, que sostienen labores y festejos como la fiesta de la vendimia y muchas otras festividades indígenas y campesinas.

Prepárate para el cambio de temporada

1. Siempre debes dejar una hortaliza crecer completamente si quieres cosechar algunas semillas y volver a cultivar.

2. Para cultivar la tierra debes aprender a retribuirle lo que ella te brinda. Por eso es conveniente mantener hábitos orgánicos en el manejo del huerto. Recuerda incorporar compost y mulch a tu suelo.

3. El suelo "se alimenta" en dos épocas del año: durante otoño y primavera. Por eso preparamos el suelo, abonando y labrando la tierra en el recambio de temporada. Así estaremos listos para volver a sembrar, plantar y cultivar.

4. También debemos dejar descansar a la tierra del cultivo sucesivo dejando un sector del huerto en barbecho o con abono verde.

Reflexiones finales

Trabajar en la huerta es conocer el mundo que habitamos, es comprender los procesos de la naturaleza. Trabajar codo a codo con la tierra, observar las hortalizas, aprender de las prácticas necesarias para cultivar y cosechar nuestra propia comida nos permite entender el humilde lugar que ocupamos en este ciclo y lo muy conectados que estamos con nuestro entorno.

Ahora que conoces el esfuerzo, el tiempo y el proceso natural que hay detrás de cada hortaliza, podrás sentirte muy orgulloso de cada uno de los cultivos que obtienes de tu huerta familiar o comunitaria.

Glosario

Abono verde: cultivo de especies leguminosas como habas, arvejas o porotos, los cuales pueden fijar en el suelo el nitrógeno que abunda en el aire, fertilizando así el suelo para otros cultivos demandantes de este elemento.

Almácigos orgánicos: plantas pequeñas germinadas en contenedores que provienen de semillas naturales sin el uso de productos sintéticos.

Barbecho: terreno de labor que no se siembra durante uno o dos años para que la tierra descanse o se regenere.

Ciclo hidrológico: corresponde al incesante ciclo del agua, donde el agua que cae en forma de nieve durante el invierno se derrite con la primavera y baja por los ríos al mar. Donde, con el calor del verano, se evapora formando las nubes que luego la dejarán caer en forma de nieve gracias al frío del invierno.

Compost: materia orgánica descompuesta y estable. Rico en microorganismos benéficos y en nutrientes. Lo puedes elaborar tú mismo con los desechos del jardín o lo puedes comprar ya preparado.

Cotiledón: estructuras de reserva de energía de la semilla, las cuales emergen como hojas cuando la semilla germina, sin embargo no pueden hacer fotosíntesis por lo que no son consideradas como hojas verdaderas.

Ecosistema: es un sistema natural compuesto por el conjunto de especies (animales, vegetales y microorganismos) que conviven en un territorio determinado, interactuando entre sí y con el medio ambiente que los cobija.

Esquejes: son brotes del tallo de una planta que se cortan a la altura de los nudos (idealmente de 8-12 cm) y que al ponerlos en agua o directamente en la tierra generan raíces, produciendo una nueva planta idéntica a la planta madre.

Fiesta de la vendimia: es la fiesta que se celebra en la zona de las viñas del Valle Central de Chile durante el mes de marzo, cuando se cosecha la uva para la elaboración del vino.

Materia orgánica: todo tejido animal o vegetal que alguna vez estuvo vivo. Como por ejemplo, las hojas de los árboles, el pasto del jardín o el guano de una vaca.

Microorganismos: son seres vivos muy pequeños que solo podemos ver con un microscopio y que son los encargados de descomponer la materia orgánica y de nutrir a las plantas.

Mulch: cubierta protectora que se ubica sobre el suelo, la cual puede ser de paja, viruta, cartón, hojas o incluso plástico. Tiene la función de evitar que el suelo reciba radiación solar directa evitando que pierda agua por evaporación. Además lo protege de la erosión.

Nutrientes: elementos necesarios para el desarrollo de funciones biológicas vitales. Tanto animales como plantas deben obtener los nutrientes del entorno. Las plantas los obtienen del suelo y los animales de las plantas que consumen.

Perenne: que dura siempre o por muchos años. Se dice que una planta es perenne cuando dura más de dos años.

Radícula: primera estructura que se forma durante la germinación de una semilla. Corresponde al inicio del sistema radicular de la planta.

Tierra mineral: es la tierra del suelo, proveniente de la fragmentación de la roca madre por lo que es muy rica en minerales para la nutrición de las plantas.

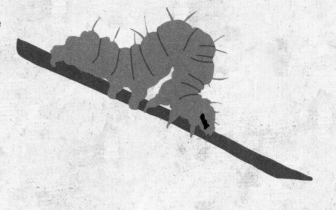